DOUYÉ - YLLYA

RECHERCHE MEILLEURE AMIE

POP! est une collection dirigée par
Hélène Bruller et Fabrice Le Jean

Hachette Livre, 43, quai de Grenelle, 75015 Paris.

1. Les murs ont des oreilles

Il s'est passé tellement de choses que je ne sais pas par où commencer...

Je m'appelle Marie-Lune et je suis très très riche parce que mon père possède une fabrique de... papier toilette ! Je ne voulais surtout pas que ma meilleure amie, Anne-So, le découvre : c'est une princesse, et on sait bien que les princesses et le PQ ne font pas très bon ménage !

Sauf que des personnes m'ont surprise avec Papa alors qu'il venait de donner une conférence au lycée sur sa fortune et son PQ fleuri. Ma couverture ne tenait plus qu'à un fil…

Du coup, j'ai organisé une réunion d'urgence avec ma sœur Ka : comment avouer la vérité à Anne-So sur l'origine de notre richesse ? Pour être dans un environnement positif, j'ai décidé d'aller en discuter dans une boutique. Déjà que j'étais déstabilisée… autant le faire dans un lieu qui était synonyme pour moi de bien-être (c'est-à-dire de shopping).

Le problème (je l'ai su après), c'est que, pendant notre conversation, Anne-So se trouvait dans la cabine d'essayage d'à côté.

Donc, Anne-So savait que je lui avais menti, et je ne savais pas qu'elle savait – vous suivez ? Mais je me suis très rapidement rendu compte qu'elle connaissait la vérité : elle a complètement cessé de me parler et, la seule fois où elle a daigné de nouveau m'adresser la parole, elle m'a balancé toutes les affaires que je lui avais prêtées. Elle m'a balancé autre chose, d'ailleurs... dans les dents.

Anne-So est très directe, comme fille.

Quand votre meilleure amie devient votre pire ennemie… c'est absolument terrible. Au début, j'ai cru qu'Anne-So allait choisir de me faire des coups en douce, vu qu'elle savait tout de moi. Mais elle a décidé de laisser voir à tous (et très clairement) qu'elle m'en voulait à mort. Sur le terrain de sport, par exemple, c'était flagrant.

J'aurais peut-être préféré la méthode vicieuse, au moins j'aurais échappé aux coquards…

Je vivais dans l'angoisse.

D'abord, je ne savais pas si Anne-So avait donné le scoop sur mon père à *Racontage de Potins*, le journal de l'école.

Ensuite, ma sœur Ka trouvait que je m'étais mise dans ce pétrin toute seule et que, si j'avais été honnête dès le début, la situation n'en serait jamais arrivée là (en résumé : tout était ma faute).

Enfin, j'étais toujours *love* de Pierre-Charles...

... mais je commençais à douter que ce soit réciproque.

2. Ennemies jurées !

Les semaines suivantes ont été difficiles : la guerre était déclarée avec Anne-So. Et le nerf de cette guerre était ce qui me tient le plus à cœur : le shopping. C'est ce qui nous avait rapprochées au début : explorer ensemble les boutiques de luxe ; tomber folles amoureuses des derniers escarpins Malono ; repérer le plus sublime des sacs Parda... C'était notre passion, notre vie. Et surtout, Anne-So, quand elle était encore mon petit chou à la crème et pas mon ennemie jurée, savait parler à mon cœur.

Mon premier réflexe a été de passer une petite annonce pour me trouver une nouvelle meilleure amie.

Ma sœur jumelle Ka a levé les yeux au ciel quand elle a vu le texte de l'annonce : *JF riche, accro au shopping, cherche amie sincère pr discuter mode, échanger fringues et partager passions.* De toute façon, je dois admettre que le résultat n'a pas été convaincant.

J'ai laissé tomber l'idée. Ka a relevé les yeux au ciel – jamais contente. J'étais donc seule pour affronter Anne-So et, croyez-moi, ce n'était pas facile. Il faut savoir qu'entre deux ennemies, il y a un langage codé qu'elles seules peuvent décrypter.

Du coup, me retrouver dans les mêmes boutiques qu'Anne-So était devenu une épreuve quotidienne. Elle et moi continuions à faire du shopping… seulement, au lieu de le faire l'une avec l'autre, c'était l'une contre l'autre.

Bien entendu, Poochie et Églantine de *Racontage de Potins* ont fini par avoir vent de notre rupture.

Elles sont même venues me demander des détails sur l'activité de mon père dans le PQ ! Comme si avoir perdu ma meilleure amie ne suffisait pas… Aaaaah, panique ! Jusqu'à ce que Poochie me déclare :

— D'après mes recherches journalistiques, le PQ est le Parti québécois !

— Il œuvre pour la protection de la langue française au Québec, a renchéri Églantine.

Moi qui avais décidé de noyer ma honte dans un jacuzzi, j'ai soudain ressenti un soulagement intense.

— Les filles, ai-je répondu, j'aurais jamais pensé que ça me rendrait aussi heureuse !

— De quoi ? a demandé Églantine.

3. Le nouveau

Pendant ce temps, la vie à l'école continuait comme si de rien n'était (alors que MA vie s'effondrait). Le grand événement, c'était l'arrivée du nouveau : Mathieu. Les couloirs bourdonnaient de soupirs : il faisait tourner toutes les têtes (sauf la mienne, toujours pleine d'amour pour Pierre-Charles).

Poochie et Églantine craquaient complètement pour, je cite, « ses tablettes de chocolat à croquer et ses petites fesses bien fermes », fin de citation.

On m'en parlait à tout bout de champ. Quand je l'ai enfin croisé dans un couloir, entouré d'une nuée de filles énamourées, j'ai fait : « GLOUPS ! »

En fait, ce qui s'était passé, c'est que je l'avais croisé à la terrasse d'un café, pendant que je pleurais sur mon sort. J'ai le droit, j'ai un chagrin d'amitié ET potentiellement un chagrin d'amour. Si je ne me plains pas maintenant, alors quand le ferai-je ? Donc je pleurais, et le garçon de la table d'à côté m'avait parlé.

— Qu'est-ce qu'il t'arrive ?

— Je me suis fâchée avec ma meilleure amie et je suis amoureuse d'un garçon qui ne m'aime pas !

— Comment un mec peut-il résister à une fille aussi jolie ? Pour te consoler, je t'invite à dîner !

— Ouh là, pas si vite ! Pierre-Charles est mon seul amour !

— Allez ! Avec le jet de Papa, dans deux heures on est à St-Trop pour regarder le coucher de soleil !

J'avoue, j'avais répondu : « On y va ! » (Un jet, c'est un jet !) Et là…

En fait, je ne l'avais pas DU TOUT dragué ; le jet m'avait juste égarée un instant. Restait la honte intersidérale parce que, en fait, il parlait à sa sœur avec son kit main libre… J'ai donc opté pour une stratégie d'urgence :

Et c'est là que j'ai réalisé que ce type était un vrai sorcier : le visage de Ka est devenu tout rose. Ka, ma sœur, qui pense plus à la famine dans le monde qu'à s'acheter des escarpins… Il l'avait instantanément transformée en midinette !

C'est à peu près les seuls échanges que j'ai eus avec ce Mathieu pendant quelques jours. Il a fini par passer tout son temps avec Ka. Et pfff, moi, leurs histoires d'association, de don et de solidarité… je m'en moquais un peu.

Car, en plus de mon amour pour Pierre-Charles et de mon engueulade avec Anne-So, un admirateur secret m'envoyait des SMS ! Donc j'étais vraiment trop occupée pour me prendre le chou avec leurs histoires…

4. L'admirateur secret

Ah oui, je ne vous ai pas encore parlé de ça ? Eh bien, même au fin fond du désespoir, mon charme continuait à agir, car j'avais un admirateur secret ! On ne se refait pas...

J'ai d'abord pensé que c'était Pierre-Charles. Mais quand j'ai reçu un SMS disant : *T tro belle aujourd'hui ML. Ton legging é tro bo*, j'ai compris que ça ne pouvait pas être lui, parce que je portais un corsaire, et que Pierre-Charles, lui, sait faire la différence.

Même si je ne connaissais pas son identité, cet inconnu m'aidait à faire diversion : Poochie et Églantine ne me lâchaient plus d'une semelle. Entre mon père du « Parti québécois » (pfff, je les aime bien, mais elles sont bêtes, et tant mieux…) et ma guerre ouverte avec Anne-So, *Racontage de Potins* n'avait jamais livré autant de scoops.

Un jour, pour couper court à leurs questions, j'ai joué la carte de l'admirateur secret.

Soudain, ni Papa ni Anne-So n'existaient plus.

— Tu as ses coordonnées ? a demandé Poochie.

— Non, son numéro est masqué et ses mails viennent d'une boîte anonyme…

— Tu sais que ma mère travaille dans l'informatique, elle peut découvrir son identité ! a affirmé Églantine.

— On te dit qui c'est et, en échange, tu nous accordes une interview exclusive ! a renchéri Poochie.

— OK, marché conclu.

Et hop ! Merci, l'admirateur secret...

Je n'ai plus repensé à cette histoire pendant un certain temps. L'équipe de choc de *Racontage de Potins* m'avait lâché les escarpins ; franchement, je n'en demandais pas plus. Je m'investissais surtout dans le shopping et ça me faisait un bien fou.

Je m'investissais aussi dans la bataille de rumeurs qui faisait rage entre Anne-So et moi. J'affirmais qu'elle était une fausse blonde, elle racontait que je mettais des chaussettes dans mon soutif… Pas de quartier !

Et puis…

L'admirateur secret… c'était Ka. Elle a nié.

— Dis-moi la vérité ! ai-je exigé.

Qu'est-ce que vous voulez répondre à ça ? Une seule chose… que je l'aime aussi, bien sûr.

5. Mathieu

Au début, je trouvais Mathieu un peu pénible. En plus de s'allier à Ka, il avait la sale habitude de m'interrompre quand je parlais en classe. Du genre : je discute avec Poochie et Églantine des sublimes sandales de la dernière collection Guerloin, et il vient m'agiter un bête problème de physique sous le nez, alors que je fais ces trucs-là en deux secondes. Inutile d'interrompre ma conversation !

Pourtant, mon opinion a fini par changer. J'étais au supermarché – oui, je sais, c'est le genre d'endroit où je ne mets jamais les pieds d'habitude, mais c'était pour rendre service à Ka. Bref, j'étais au supermarché et j'ai croisé Mathieu.

— Tiens, Marie-Lune, encore en train de faire du shopping ?

— En faisant du shopping, ai-je ajouté, j'essaie d'être plus proche d'elle… de comprendre pourquoi elle a préféré le shopping à nous ! Il y a des jours où elle me manque trop... Alors j'erre dans les magasins en pensant à elle. Et j'achète le plus de choses possible. Je veux être la plus jolie le jour où elle reviendra, comme ça elle n'aura plus envie de partir !

Mathieu me regardait vraiment bizarrement.

Ben non, il ne savait pas, mais bon... j'ai essayé de le rassurer, parce qu'il avait vraiment l'air désolé :

— Ne sois pas mal à l'aise ! Est-ce que je suis gênée, moi ?

... Là, oui, j'étais gênée. En fait, suite à ce malencontreux incident, j'ai fait ce que toute jeune femme pleine d'assurance aurait fait à ma place : prendre un air détaché et naturel, et répondre avec calme, en assumant sa féminité ? Pas du tout ! Je suis devenue cramoisie, j'ai bredouillé « euh-non-chaipas », jeté des billets au hasard sur le tapis de caisse et couru chez nous m'enfermer dans les toilettes pour environ une centaine de millions d'années. Au moins.

Puis, j'ai bien dû sortir de là et j'ai annoncé à Ka que je voulais l'aider dans ses actions caritatives avec Mathieu.

— C'est la seule personne qui a eu l'air de m'écouter quand j'ai parlé de Maman, ai-je expliqué.

C'est vrai. Personne ne m'écoute. Les autres pensent que je suis trop riche pour être malheureuse… mais c'est faux.

6. JDL

Toute cette histoire m'a rapprochée de JDL (qui s'appelle en vrai et en très long Jean-Dominique-Louis de La Motte de Terre). Il m'a donné un rendez-vous secret. Et comme je suis un peu TRÈS curieuse, j'y suis allée. Il a commencé par me demander de l'appeler JDL, ce qui a dû me faire économiser au moins deux mois de vie parce que si chaque fois que j'en parle, je dois citer son nom en entier, j'ai le temps de louper trois fois le début des soldes.

JDL avait un gros souci. Avant, toutes les filles qui voulaient devenir des princesses le fréquentaient. Mais depuis l'arrivée de Mathieu, JDL (même ultra-riche, même prince) n'existait plus pour elles. Son plan ?

— Ah, mais je n'ai pas de souci d'argent ! a rétorqué JDL.

— Ben, défavorisé de la face, si !

La gaffe ! Après, il a voulu se jeter dans la piscine, mais je l'ai retenu (empêcher un suicide vaut au moins 20/20 en Vie scolaire, j'en suis sûre).

Je lui ai présenté mes excuses et on a commencé à mettre son plan en application. Première phase : on mangeait ensemble à la cantine. Résultat ?

Moyennement efficace...

Deuxième phase : dans la cour, il me racontait des blagues, et je riais à gorge déployée pour convaincre tout le monde de son humour incroyable et de son charme envoûtant. Le lendemain, *Racontage de Potins* a titré : « Pourquoi Marie-Lune rit-elle ? Il n'y a qu'à regarder la tronche de JDL ! » Deuxième échec...

En désespoir de cause, on est passés à des mesures extrêmes. Et quand je dis « extrêmes », je n'exagère pas.

Si ça ne vous ennuie pas, je préférerais ne pas m'étendre sur cet épisode. Gardez en mémoire que j'étais à bout de nerfs, que je n'en pouvais plus de la guerre avec Anne-So : de la solitude, des piques, des méchancetés, et surtout des ballons de basket qu'elle me balançait à 200 km/h pendant les cours de sport (je vous ai déjà dit qu'elle était hyper forte ?).

Ce que cet effort surhumain a donné ? RIEN. À part : « JDL entre en effraction dans la bouche de Marie-Lune pour lui chiper son chewing-gum ! » en couverture de *Racontage de Potins.*

Heureusement, il s'est produit quelque chose qui m'a aidée à me changer les idées… Et ça, je sais maintenant que je le dois à Ka…

7. L'égérie Pécu n° 5

Ka me voyait si malheureuse qu'elle a appelé Papa à l'aide ; en effet, cette histoire avec Anne-So et mes efforts pour appliquer le plan de JDL me minaient vraiment.

Mon papounet a organisé en un clin d'œil une magnifique soirée avec des stars et un buffet somptueux… avec la « touche Ka », puisque cette soirée était au profit des sans-abri.

Depuis le départ d'Anne-So, j'ai réalisé à quel point j'avais de la chancc de l'avoir, ma sœurette.

Et c'est grâce à elle que ma vie a pris un tournant radical. Alors que je discutais avec Ka… Carlos Garfield a débarqué !

Il a tout de suite été subjugué par mon allure. Ça m'a redonné le moral en un éclair ! Je me sentais de nouveau glamour, au top du top… Le lendemain, je suis allée voir Carlos. C'était génial ! Enfin, jusqu'à ce que je comprenne qu'il cherchait quelqu'un pour la nouvelle campagne de pub pour le PQ de Papa... assorti à mes cheveux, selon lui.

— Du PQ, ça reste du PQ ! ai-je répondu.

— Mais ça te ferait du bien, pourtant, que tout le monde le sache ! Tu dois assumer, a prétendu Ka.

Ben voyons…

— Mon roudoudou d'amour, a imploré Papa, ce nouveau PQ est fondamental pour l'avenir de mon entreprise, et cette campagne de pub aussi !

Mais cette histoire de papier toilette m'avait déjà coûté mon amitié avec Anne-So et ma réputation.

Ka a essayé de trouver les mots pour me convaincre :

Franchement, sur le moment, j'ai affirmé que je préférais être pauvre et digne que riche et ridicule, et je suis sortie en courant du studio de photo. C'est mon papounet qui m'a décidée à devenir l'égérie de sa nouvelle gamme : en essayant de me rattraper, il s'est pris les pieds dans les spots et il s'est salement cassé la figure ! Ensuite, en le voyant plein de pansements de la tête aux pieds, j'ai eu une idée...

Et voilà ! J'avais trouvé la combinaison parfaite : la gloire et la richesse… mais anonymement !

8. La gloire... anonyme !

Et c'est comme ça que je suis devenue une star ! La pub Pécu n° 5 faisait un carton. L'entreprise de Papa était en rupture de stock. Personne ne savait qui se cachait sous les bandes de PQ de la nouvelle collection Molto. J'ai défilé pour la *fashion week* et fait la une de *Vague*... déguisée en Pécu.

À l'école, tout le monde mourait de jalousie devant la mystérieuse top-modèle... et je gardais précieusement ce secret. Ce que j'aurais dû savoir plus tôt, c'est que Pierre-Charles était fou amoureux de la mystérieuse Pécu !

Alors qu'il continuait de me repousser, il était tout *love* devant les posters de Miss Pécu n° 5 (enfin de moi, vous suivez toujours ?).

Il faut croire que le pauvre chéri avait les yeux pleins de boue, parce qu'au lieu de se rendre compte que l'allure et la classe de Pécu ne pouvaient que me désigner, il restait là, énamouré, à rêver de Miss Papier Toilette.

Pendant ce temps, JDL insistait pour m'aider à me réconcilier avec Anne-So. Même si la première partie du plan n'avait pas marché (redevenir populaire en s'affichant avec moi), il tenait à remplir sa part du marché. Tout de même, quelle classe, ce JDL... Il n'est pas prince pour rien ! Première tentative : offrir à Anne-So un bikini Diar, un prototype pour la saison prochaine, qui n'était même pas encore en vente. Je l'ai pris en 34 (je n'avais pas oublié sa taille !).

Ensuite, JDL m'a suggéré d'écrire une lettre à Anne-So pour lui expliquer ce que je ressentais et lui demander que l'on redevienne amies : très bonne idée, car par lettre c'est plus facile d'exprimer ses sentiments. Manque de bol, j'avais aussi écrit une lettre à Pierre-Charles pour lui proposer de sortir avec moi… et j'ai interverti les enveloppes ! Du coup, il y a eu un léger malentendu quand Anne-So a ouvert la lettre destinée à Pierre-Charles…

Je ne savais vraiment plus comment faire pour reconquérir l'amitié d'Anne-So. Mais quand je l'ai vue discuter avec la nouvelle, Pénélope, et que Ka a dit :

... j'ai su qu'il ne me restait plus qu'une solution : dire à tous qui était Pécu.

9. L'aveu public

Pour récupérer Anne-So, j'ai fini par avouer à toute l'école que c'était moi, Pécu. Au moment de monter sur la scène de l'amphi de l'école, j'étais terrifiée. Mais je me suis lancée...

— Aujourd'hui, je renonce au secret pour retrouver l'amitié de quelqu'un qui m'est très cher… La fille de la pub Pécu Molto n° 5, c'est moi.

Très franchement, je ne m'attendais pas à cette réaction. Ils étaient tous morts de rire !

Forcément, je n'avais pas fait attention à la date, moi ! Trop angoissée ! Du coup, je n'ai pas dit que M. Molto, c'était Papa ; de toute façon, ils ne l'auraient pas cru non plus.

Mais j'ai su que j'avais quand même réussi mon coup quand Anne-So est venue poser la main sur mon épaule en murmurant :

— Moi, je sais que ce n'est pas une blague !

Me réconcilier avec Anne-So a été l'un des meilleurs moments de toute ma vie. Elle savait à quel point j'aurais préféré me cacher et échapper au regard des autres, et le sacrifice que cela me demandait… Alors, en me voyant m'avancer devant tout le monde, prête à dire toute la vérité pour me racheter à ses yeux, elle m'a pardonné. On a oublié les coups en douce, la rancœur et la tristesse… et notre amitié en est ressortie plus forte que jamais.

Anne-So et moi avons rattrapé le temps perdu… et elle m'a même avoué des choses que j'ignorais totalement : j'ai appris qu'elle avait essayé de convaincre Pierre-Charles de sortir avec moi, et qu'elle avait empêché Poochie et Églantine de dévoiler dans le journal que j'étais *love* de lui, mais que lui en pinçait plutôt pour elle…

— Ah oui, je me souviens de cette fois-là, c'est quand elles sont arrivées en cours avec un œil au beurre noir !

Bref, même quand on ne se parlait plus, Anne-So, à sa façon, m'était restée loyale, toujours !

J'ai de la chance de l'avoir retrouvée, parce que des amies comme elle, ça ne court pas les rues…

10. Pierre-Charles est un gros abruti

Cette histoire m'a aussi permis de réaliser que JDL est un garçon formidable.

C'est même grâce à lui que j'ai fini par me rendre compte que Pierre-Charles était un gros abruti ! Je sais, je sais, je l'aimais… Mais à partir du moment où j'ai ouvert les yeux, je me suis demandé comment j'avais pu être si *love* d'un garçon pareil ! Je vous explique...

C'était au moment où JDL essayait de me réconcilier avec Anne-So. Je vous ai raconté qu'il avait même menacé de lui brûler ses escarpins Jimmy Show pour la convaincre ? Une vraie amitié ne peut être basée sur le chantage, mais c'est pour vous dire à quel point ce cher JDL prenait sa mission à cœur !

Bref, j'étais avec lui dans la boutique de l'école et je lui faisais essayer une cravate. Pas pour ma note de Vie scolaire, non : je commençais à l'apprécier vraiment.

Pierre-Charles est intervenu pour dire qu'on formait un joli couple.

De surprise, j'ai serré la cravate au maximum. JDL commençait à manquer d'air... D'où ça sortait, cette agressivité gratuite ? JDL ne lui avait jamais rien fait !

— Frhrrehff, a grogné mon ami qui devenait bleu.

— Tu ne manques pas d'air, toi ! ai-je répliqué.

— Fais gaffe, pour l'instant, c'est Mister Univers qui manque d'oxygène ! s'est moqué Pierre-Charles.

Je me suis dit : « Non mais, pour qui il se prend, lui ? Il insulte mes amis ? » JDL a tenté d'intervenir…

Mais même s'il est adorable et très riche, en termes de carrure, il faut avouer qu'il n'est pas forcément de taille. Surtout face à quelqu'un qui avait tout son oxygène, alors que lui était à deux doigts de tomber dans les pommes à cause de la cravate trop serrée (on ne se méfie pas, mais ça peut être super dangereux…) !

Le pauvre JDL s'est excusé en toussant :

— Euh, pardonnez-moi, Marie-Lune… mais je ne supporte pas la grossièreté !

— Je ne te permets pas de frapper Pierre-Charles ! ai-je rétorqué.

Non mais !

11. Non, c'est impossible...

Puis, un truc hyper étrange a commencé à se produire : je couvais quelque chose qui me faisait me sentir bizarre. En effet, plus Ka et Mathieu passaient du temps ensemble, plus ça me cassait les pieds. Et croyez-moi, du temps ensemble, ils en passaient ! Et que je discute de l'association de Mathieu pour la transfusion sanguine, et que je blablate dans mon dos comme quoi je suis superficielle... Il débarquait tous les jours pour la voir.

J'ai donc naturellement pensé que je devenais allergique à Mathieu : c'était la conclusion la plus logique vu que, chaque fois qu'il venait, j'avais chaud aux oreilles et des nœuds au ventre. Ou alors, c'était dû aux fleurs qu'il apportait à Ka, de beaux gros bouquets… alors que je me récupérais une pauvre rose rouge donnée par politesse.

Pfff ! Après, il a commencé à me demander conseil pour lui faire des cadeaux. Re-pfff ! J'allais pas faire la marieuse, en plus !

Jusqu'à la seconde où ça m'est tombé sur la tête comme une tonne de briques. J'étais tellement sonnée que je me suis assise, pof, sur le trottoir. JDL, qui passait par là, m'a aidée à me relever – quel gentleman ! – et m'a demandé ce qui m'arrivait. Il s'inquiétait – c'est vraiment un ami, ce JDL !

Ce qui m'arrivait ? Je n'avais pas d'allergie, déjà, c'était sûr. J'avais un truc bien plus difficile à soigner...

L'amour, le vrai, voilà ce que je venais d'attraper !

Le coup de foudre, je connais. Je l'ai déjà eu souvent… pour des fringues ! Quand on y pense, le shopping…

… ensuite, on fait connaissance dans la cabine d'essayage. Et on se rend compte que l'on a été créés l'un pour l'autre ! Si tout va bien, on sort ensemble du magasin et on se balade dans les rues, en se sentant si bien… Et comme toutes les histoires passionnelles, il arrive parfois qu'on se sépare violemment. Quand, soudain, on voit le vêtement porté par une autre !

Mais ce que je ressentais là, c'était mille milliards de fois plus fort ; ça me traversait tout entière ; c'était, c'était, j'étais, j'étais…

Voilà. Amoureuse. J'étais amoureuse. De Mathieu.

12. La lettre

Comme par hasard, le lendemain, Mathieu est venu me demander un service. Il m'a tendu une lettre...

— Donner cette lettre à Ka ? l'ai-je interrompu. Ka est ma sœur chérie, je suis prête à tout pour elle... même à t'aider à sortir avec elle !

J'étais assez fière d'avoir pu faire une phrase complète. Et je suis partie dignement. Enfin, en courant.

Bien entendu, j'ai donné la lettre à Ka. La loyauté entre sœurs l'exigeait ! À l'intérieur, j'étais jalouse, très jalouse. Mais j'étais décidée à ne pas gâcher sa joie. Ils étaient clairement faits l'un pour l'autre… Alors j'allais faire de mon mieux pour que ça marche.

— C'est une déclaration d'amour, a dit Ka en lisant la lettre. (Sans blague !)

— C'est tout l'effet que ça te fait ? ai-je demandé.

— Il dit qu'il en aime une autre.

— C'est toi, a répondu Ka.

J'ai pris la lettre.

« Ne sachant pas comment t'avouer mon amour, j'ai tenté le langage des fleurs… » Ah, c'était donc ça, la rose rouge qu'il s'entêtait à m'offrir !

« … j'ai essayé de connaître tes goûts, en prétextant vouloir faire des cadeaux à Ka. Mais c'est à toi que j'aurais aimé offrir un cadeau ! Parfois, tu me troublais tellement que je n'osais pas te regarder et ne m'adressais qu'à ta sœur… Je crois que j'ai eu le coup de foudre quand tu m'as parlé de ta mère.

Lors de notre première rencontre, ce n'est pas à toi que j'ai dit : "Comment peut-on résister à une fille aussi jolie que toi ?" »

Et dire que ce jour-là je lui avais répondu que mon seul véritable amour était Pierre-Charles ! Et que je n'étais pas du genre à me laisser séduire par le premier venu... J'ai repris ma lecture : « J'ai peur de te le demander... mais je me jette à l'eau : m'aimes-tu ? Je dois partir quelques jours à New York... Que me répondras-tu à mon retour ? »

Sur le moment, c'est bien qu'il n'ait pas été là, parce que je n'aurais pas pu répondre grand-chose. Je voyais des petits cœurs partout !

13. Pénélope

Le lendemain, à la boutique, Pierre-Charles avait l'air très content de me voir… Sans doute parce que JDL avait fini par lui remettre les yeux en face des trous et par lui dire que la Miss Pécu dont il était amoureux, c'était moi ! Mais trop tard, Pierre-Charlichou, il fallait réagir avant ! Depuis, j'avais eu un coup de foudre et j'avais trouvé l'amour… Toute à ma joie, je suis partie essayer un top.

Quand je suis sortie de la cabine, la nouvelle de l'école, Pénélope, était là.

— Ben dis donc, il a l'air fou de toi, ce garçon ! a-t-elle fait remarquer, désignant Pierre-Charles et son air malheureux.

— Il ne m'intéresse plus, c'est trop tard, ai-je répondu.

Puis, sans réfléchir, j'ai ajouté :

— C'est Mathieu que j'aime, maintenant...

Oups ! ai-je pensé. Attends qu'il soit rentré de New York avant de crier ton amour sur tous les toits !

Pénélope m'a dévisagée.

Mais bon, je l'avais dit, trop tard ! Et puis même si c'était un peu tôt pour en parler, Mathieu m'aimait, je l'aimais, il allait rentrer de New York d'un moment à l'autre : qu'est-ce qui pouvait tourner mal ? Finalement, j'ai enchaîné tout en prenant une jolie robe :

Pénéloppe m'a jeté un regard noir et a craché :

— Je l'ai vu avant toi !

— La robe ?

— Non, Mathieu ! Il est à moi !

Je l'ai regardée, interloquée. Elle a continué :

— C'était mon petit ami à New York. Je l'ai suivi en France. C'est l'homme de ma vie, rien ne pourra nous séparer !

— Personne ne t'a crue ! a-t-elle rétorqué. C'est trop la honte que la reine du glamour soit la reine du papier toilette !

Au début, je n'ai rien répondu, à part : « GLOUPS ». Mais il fallait qu'elle comprenne… Alors j'ai essayé d'expliquer que j'étais amoureuse.

La seule chose que Pénélope a daigné ajouter a été :

— Oublie-le !

— Mais Mathieu m'aime aussi…

Elle m'a tourné le dos et elle est partie, en piétinant mon bonheur tout frais.

14. La fin

Voilà. Je regarde le SMS de Mathieu et je me demande ce que je dois faire. Je sais que le secret de Papa a failli casser mon amitié avec Anne-So. Je sais qu'il faudrait que j'arrête les secrets. J'ai le choix. Première solution : je suis courageuse et j'affronte tout le monde – mais, en même temps, je ne suis pas sûre d'être assez forte pour supporter les blagues dans les couloirs de l'école. L'argent ne fait pas tout ; être respectée, c'est tout aussi important.

Oui, je pourrais être courageuse. Seconde solution : je me défile et je garde le travail de Papa secret ; mon honneur est sauf ; j'évite les chuchotements sur mon passage et je reste populaire.

J'ai déjà failli le faire, je sais que j'en suis capable… Je coche « nouveau SMS » et je rédige le message qui va changer ma vie.

Quand j'appuie sur « Envoyer », mon cœur bat à cent à l'heure. J'ai fait mon choix. Je dois maintenant assumer… Ça va être dur.

Je pense à ce premier baiser avec Mathieu, dont j'ai rêvé si longtemps et qui aurait tant compté dans ma vie. Je l'ai imaginé, ce baiser... Je nous ai vus, Mathieu et moi, serrés l'un contre l'autre, un moment de pur bonheur. Et puis, soudain, je sens une présence dans mon dos. Je sens sa main qui se pose sur mon épaule, et je pose la mienne sur la sienne.

Je me retourne, je me love dans ces bras ouverts et je pose ma tête contre ce torse tendre. Oui, il va falloir l'assumer, ce choix. Je lève la tête en repensant à ce paradis que j'ai imaginé. Je cherche sa bouche et je l'embrasse. Oui, hier encore, ça devait être le paradis.

J'embrasse Pierre-Charles et je sais que Mathieu me voit. Je lui ai dit de venir exprès. Je sais que je lui brise le cœur. Il va m'en falloir, du shopping, pour me consoler de m'être défilée comme ça !

Mais je ne suis pas prête à dévoiler à tout le monde ce secret que je garde depuis si longtemps. Je me dis ça… et je me dis aussi :

Et je n'ai pas la réponse.

Table